TOME 5
SAiSON 1

© Alex A. et Presses Aventure inc., 2013

D'après une idée originale d'Alex A.

PRESSES AVENTURE INC.
55, rue Jean-Talon Ouest
Montréal (Québec) H2R 2W8
CANADA

groupemodus.com

Président-directeur général : Marc G. Alain
Éditrice : Marie-Eve Labelle
Infographiste : Vicky Masse-Chaput

ISBN version imprimée :
– 978-2-89660-885-0

ISBN versions numériques :
– ePub : 978-2-89751-185-2
– Kindle : 978-2-89751-197-5
– PDF : 978-2-89660-980-2

Dépôt légal — Bibliothèque et Archives nationales du Québec, 2013
Dépôt légal — Bibliothèque et Archives Canada, 2013

Nous reconnaissons l'aide financière du gouvernement du Québec par l'entremise du Programme de crédit d'impôt pour l'édition de livres et du Programme d'aide aux entreprises du livre et de l'édition spécialisée — SODEC

Financé par le gouvernement du Canada | Canadä

Imprimé au Canada en septembre 2018

TOME 5
SAISON 1

LE FRIGO TEMPOREL

DESSIN ET SCÉNARIO :
ALEX A.

PRESSES AVENTURE

POUR MON CHIEN, OURS, QUI
M'OBLIGE À ALLER MARCHER DEHORS
QUAND JE TRAVAILLE TROP.

ANALYSE DU DOSSIER...

MISSION ACCOMPLIE

DOSSIER RETROUVÉ. RETOUR À LA BASE.

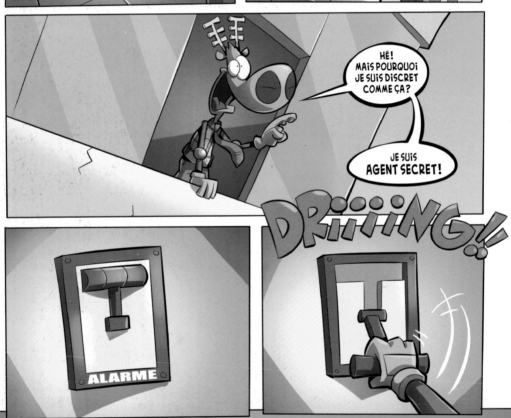

ALEX A. PRÉSENTE

EN COLLABORATION AVEC PRESSES AVENTURE

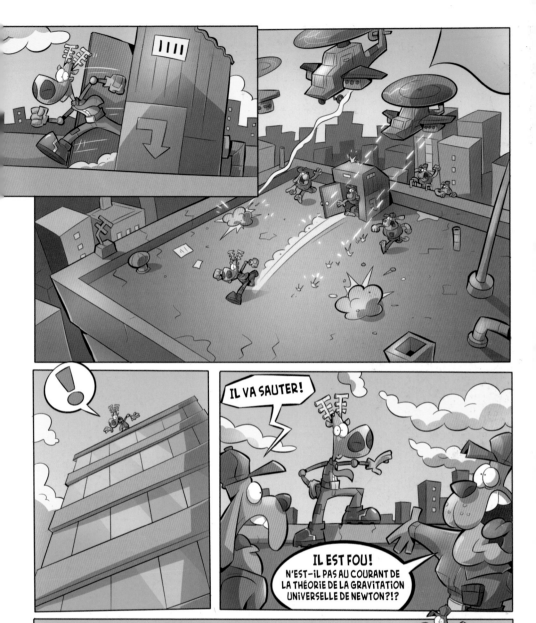

IL VA SAUTER!

IL EST FOU!
N'EST-IL PAS AU COURANT DE LA THÉORIE DE LA GRAVITATION UNIVERSELLE DE NEWTON?!?

LE TOME 5 DES AVENTURES DE...

ÉDIFICE A, 12 H 13.

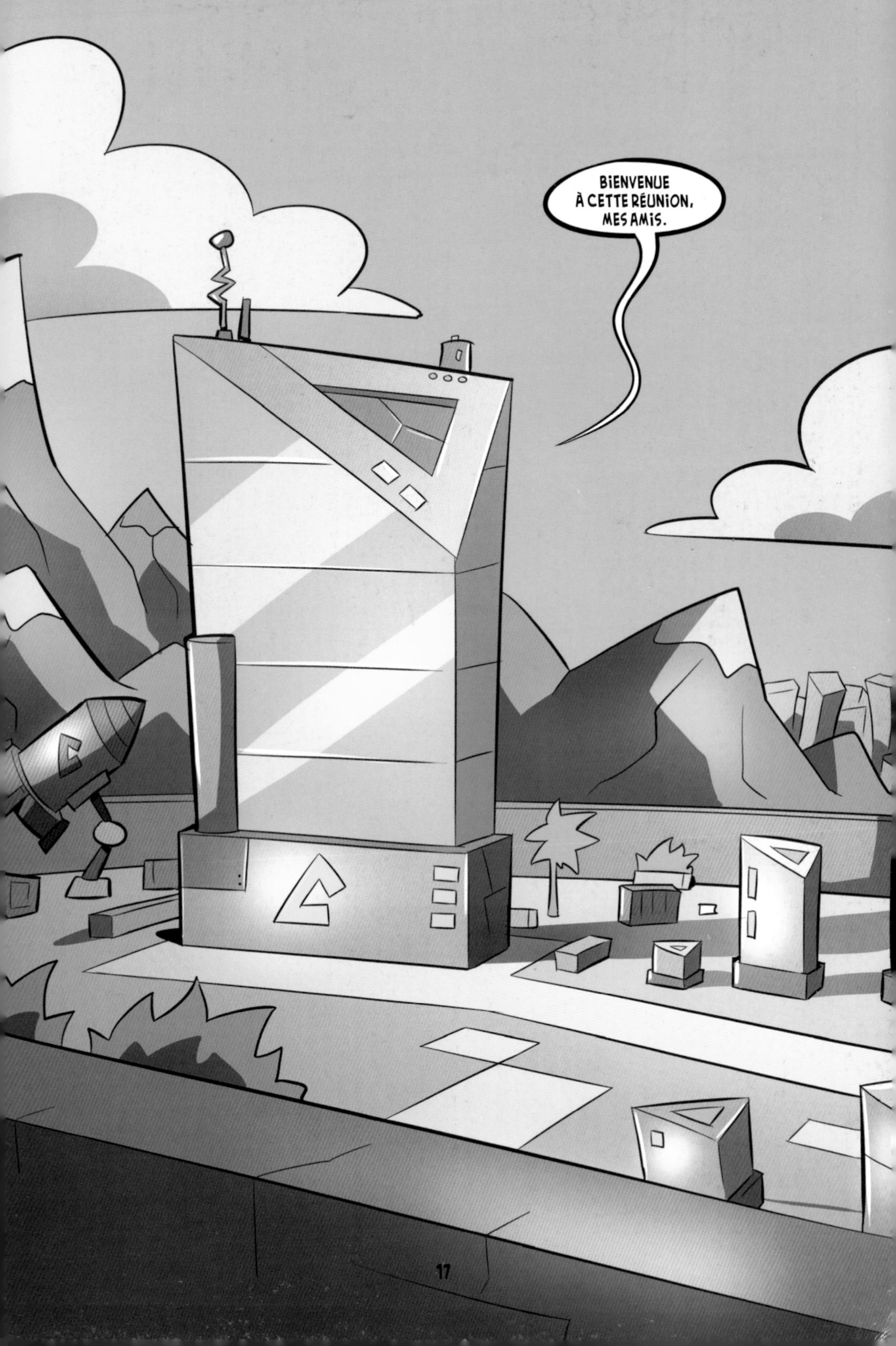

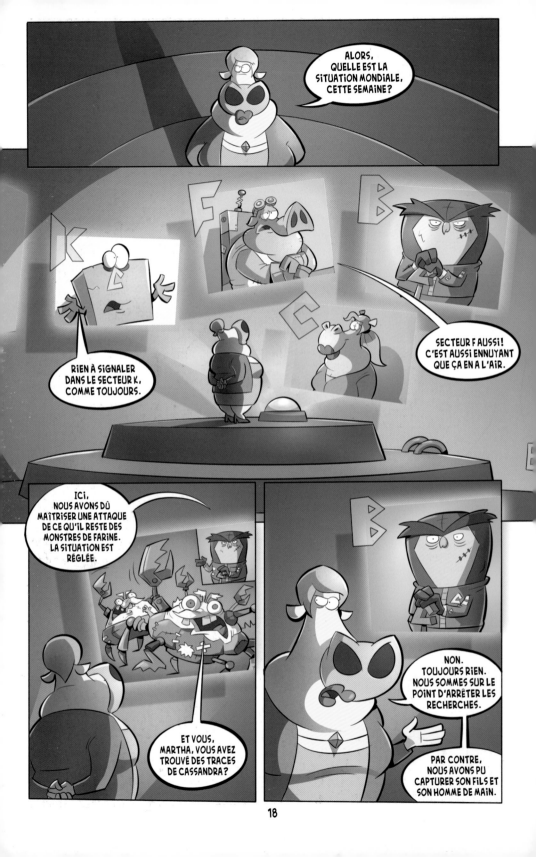

18

NOUS COMMENCERONS BIENTÔT LEUR RÉHABILITATION.

PARLANT DE ÇA, COMMENT VONT LES TRAVAUX SUR L'INTRA-NEURONAL 3000?

LA PROGRAMMATION DEVRAIT ÊTRE COMPLÉTÉE D'ICI UN MOIS.

IL N'Y A QUE HOSTILIA, LA DANGEREUSE SCIENTIFIQUE QUI SOIT ENCORE EN FUITE.

CE SERA IMPORTANT DE LA RETROUVER, CELLE-LÀ. SON ARMÉE DE BANANES SANGUINAIRES POURRAIT DEVENIR UN PROBLÈME SI ELLE CONTINUE DE GROSSIR.

PARFAIT. JE VOUS LAISSE, ON A BEAUCOUP DE TRAVAIL ICI.

OH, JUSTE AVANT, MADAME, VOUS N'AVEZ RIEN DE NOUVEAU SUR...

LE CASTOR?

19

21

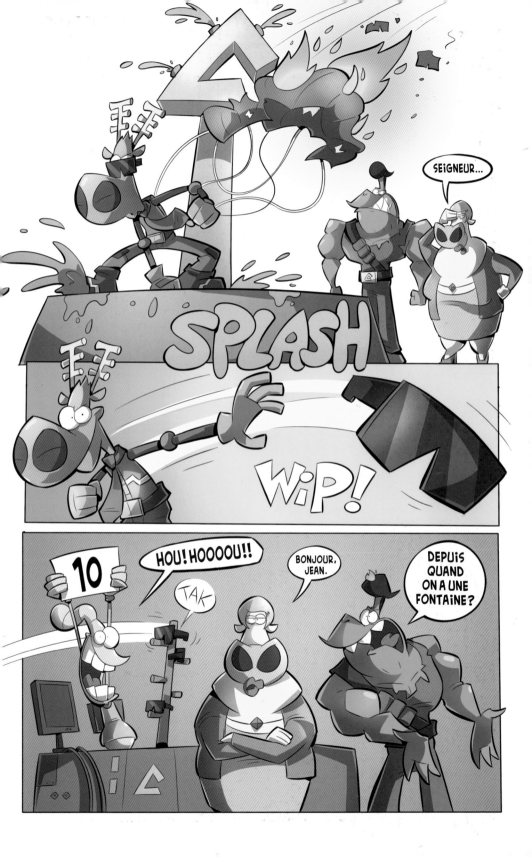

ÇA FONCTIONNE!! WOUHOU!

ARG, HENRY! À CAUSE DE TOI, JE DOIS TOUT RECOMMENCER!!!

OUPS, DÉSOLÉ, MOIGNONS. MAIS, VOUS VOUS RENDEZ COMPTE? J'AI RÉUSSI À ME TÉLÉPORTER! ET ÇA FONCTIONNE COMME UN CHARME.

ELLES SONT OÙ TES JAMBES?

AH... EUH...

JUSTE LÀ! C'EST PAS SI MAL.

MOIGNONS..., TU VEUX BIEN ME...?

SOUPIR BIEN SÛR...

ON T'A DÉJÀ DIT DE FAIRE ATTENTION, HENRY. JE TE RAPPELLE QUE C'EST DE TA FAUTE SI UN DE NOS DOSSIERS SECRETS S'EST RETROUVÉ EN DEHORS DE L'IMMEUBLE.

MAIS IL FAUT BIEN QUE JE POURSUIVE MES RECHERCHES SUR LES MICROTROUS NOIRS!

27

AGENT JEAN À LA RESCOUSSE!

HU! HU! IL OUBLIE TOUJOURS DE FAIRE SON INJECTION, LE COQUIN.

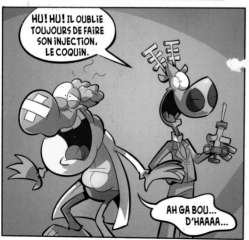

AH GA BOU... D'HAAAA...

EUH. C'ÉTAIT QUOI, ÇA?

LE CERVEAU D'HENRY DEVIENT UN SUPER VILAIN SI ON NE LUI DONNE PAS UN SÉDATIF TOUTES LES VINGT-QUATRE HEURES.

AH BON. POURQUOI PAS!

OH! J'Y PENSE, C'EST L'HEURE DE MON ENTRAÎNEMENT AVEC WXT. ON SE VOIT CE SOIR!

BYE, BYE!

TU VEUX QUE JE T'AIDE À FINIR?

BOUHOUHOUHOU!!!

ET DE... TROIS... ALLEZ, UN P'TIT EFFORT!

HISH! JE N'AI PLUS LA FORME QUE J'AVAIS À L'ÉPOQUE, C'EST SÛR!

ALLONS, MOI, JE VOUS TROUVE SUPER, ENCORE.

OUAIS, MAIS JE N'AI PAS TES ABDOMINAUX. EST-CE QUE C'EST VRAI QUE TU PEUX RÂPER DU FROMAGE LÀ-DESSUS?

JUSTE DE LA MOZZARELLA.

PRATIQUE.

C'EST MOI OU T'AS L'AIR UN PEU TIMIDE AVEC MOI?

MAIS... JE SAIS PAS... J'AI L'IMPRESSION QUE JE N'ARRIVE JAMAIS À MES BUTS MÊME SI JE FAIS TOUS LES EFFORTS DU MONDE.

VOUS AURIEZ UN CONSEIL POUR MOI?

FAIS TON MÉTIER POUR LES BONNES RAISONS... ET TU SERAS LE MEILLEUR.

ET NE RECONGÈLE JAMAIS LA VIANDE QUE TU AS DÉJÀ DÉCONGELÉE. ÇA FORME DES BACTÉRIES.

HEIN?

ILS SONT BIEN DANS CET IMMEUBLE, MONSIEUR.

PARFAIT, PRÉPAREZ LES CHARS D'ASSAUT.

C'EST L'HEURE D'AVOIR UNE PETITE DISCUSSION...

JE COMPRENDS VRAIMENT RIEN À TON COSTUME...

C'EST ÉVIDENT, NON?! J'AI SIMULÉ UNE STRUCTURE INSTABLE DES ATOMES DE MON CORPS POUR FAIRE COMME SI UNE PARTIE DE MOI S'ÉVAPORAIT DANS UNE AUTRE DIMENSION!

C'EST COOL, NON!?

OUAIS, PAS MAL... MOI, JE SUIS UN POT DE CONFITURE.

ATTENTION, TOUT LE MONDE, C'EST MAINTENANT L'HEURE D'ANNONCER LE GAGNANT DU CONCOURS DE COSTUME DE CETTE ANNÉE.

QU'EST-CE QU'ON GAGNE?

PAS UN SOUPER AVEC BILLY ENCORE?

T'AVAIS PAS AIMÉ ÇA?

NON. UNE CONSOLE DE JEUX VIDÉO NOUVELLE GÉNÉRATION!

HD, WI-FI, AVEC UNE MANETTE À ÉCRAN TACTILE ET LE NOUVEAU TURBO FILIPO! DE QUOI VOUS FAIRE PROCRASTINER ENCORE PLUS DURANT LE TRAVAIL.

OUH!

ET LE GAGNANT EST...

BILLY!

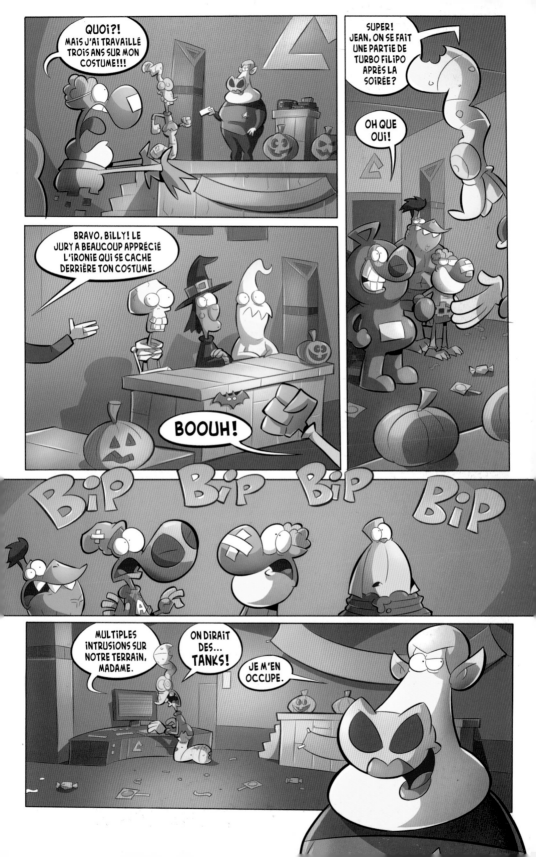

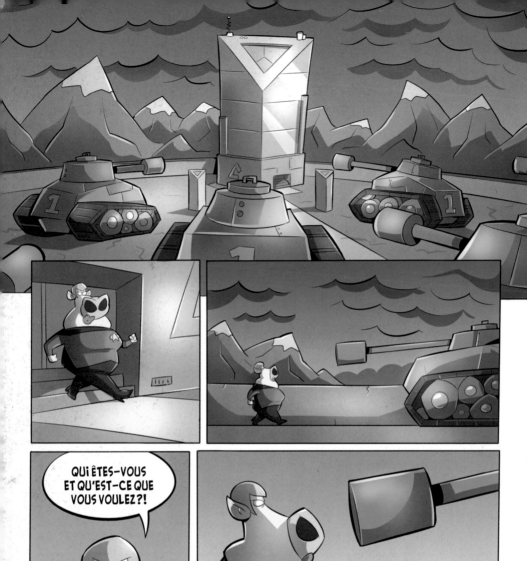

QUI ÊTES-VOUS ET QU'EST-CE QUE VOUS VOULEZ?!

... JE VOUS AI POSÉ UNE QUESTION.

ALORS, QU'EST-CE QUI VOUS EMMÈNE ICI?

J'AI DES DOCUMENTS SUR CETTE CLÉ QUI EXPLIQUENT MA SITUATION. OÙ EST-CE QUE JE POURRAIS LA BRANCHER?

BILLY, TU PEUX T'EN OCCUPER?

OUI, MADAME!

TIDOUM

EUH, L'ORDINATEUR DE CETTE SALLE N'A PAS ÉTÉ REMPLACÉ DEPUIS UNE BONNE DIZAINE D'ANNÉES... ÇA VA PRENDRE QUELQUES MINUTES.

BON, DISCUTONS UN PEU. ALORS, QU'EST-CE QUE VOUS FAITES AU JUSTE DANS CET ÉDIFICE?

SI C'EST LE SEUL QUE VOUS AVEZ...

AU NOMBRE D'ÉDIFICES QUE NOUS AVONS, ÇA M'ÉTONNE QUE VOUS AYEZ SEULEMENT TROUVÉ CELUI-ICI.

NE VOUS INQUIÉTEZ PAS, MONSIEUR LE PRÉSIDENT. NOS OBJECTIFS SONT PUREMENT PACIFIQUES.

COMME QUAND NOUS AVIONS DÉCIDÉ DE DÉSACTIVER VOS ARMES ATOMIQUES.

C'ÉTAIT VOUS, ÇA! JE CROYAIS QUE C'ÉTAIT LES EXTRATERRESTRES.

NOUS SAVONS, VOUS ET MOI, QUE LES EXTRATERRESTRES SE MÊLENT DE LEURS AFFAIRES.

ET QU'EST-CE QUI VOUS DONNE LE DROIT, À VOUS, DE VOUS MÊLER DE LA VIE DES AUTRES?

EN QUOI CETTE PLANÈTE VOUS APPARTIENDRAIT?!

NOUS SOMMES SIMPLEMENT LÀ POUR PRÉVENIR L'AUTODESTRUCTION DE CETTE PLANÈTE. SI VOUS SAVIEZ LE NOMBRE DE FOIS OÙ NOUS AVONS PU ÉVITER LA FIN DU MONDE.

VOUS CROYEZ QUE, SANS VOUS, LES TERRIENS N'EXISTERAIENT PLUS?

JE NE CROIS PAS, J'EN SUIS SÛRE.

ET COMMENT VOUS ALIMENTEZ TOUT ÇA? OÙ EST-CE QUE VOUS PRENEZ VOTRE ARGENT?! VOUS NOUS LE VOLEZ, C'EST ÇA??

VOUS VOUS PRENEZ POUR ROBIN DES BOIS?

HA, HA! NOUS SOMMES COMPLÈTEMENT AUTOSUFFISANTS, JE VOUS RASSURE. L'ARGENT N'A PAS BEAUCOUP DE VALEUR, ICI.

ET POUR L'ÉNERGIE? JE NE CROIS PAS QU'UN ÉDIFICE COMME CELUI-CI PEUT FONCTIONNER AVEC QUELQUES PILES.

ÇA AUSSI, C'EST CONFIDENTIEL. MAIS, MÊME SI JE VOUS EXPLIQUAIS, JE NE CROIS PAS QUE VOUS COMPRENDRIEZ.

ALORS, VOUS CACHEZ DE LA TECHNOLOGIE AVANCÉE À LA POPULATION TERRESTRE, DE MIEUX EN MIEUX.

LES GENS NE SONT PAS PRÊTS POUR CERTAINES TECHNOLOGIES.

HA! HA! QUOI ENCORE? LES TERRIENS NE SONT PAS ENCORE ASSEZ ÉVOLUÉS POUR UTILISER VOS JOUETS? ILS SONT ENCORE DES ENFANTS, C'EST ÇA?

C'EST EN EFFET CE QUE JE PENSE.

... ET EN QUOI, VOUS, VOUS ÊTES MIEUX?

NOUS SOMMES LÀ DEPUIS PLUS LONGTEMPS.

ÇA Y EST! LE CHARGEMENT EST FINI! JE METS LE TOUT SUR PROJECTEUR.

PARFAIT. JE VOUS ÉCOUTE, MONSIEUR LE PRÉSIDENT.

PROJET 00016
TOP SECRET

BRÈCHE
XTRADIMENSIONNELLE

ALORS... LA SEMAINE DERNIÈRE, IL Y A EU UN INCIDENT DANS UN DE NOS LABORATOIRES SOUTERRAINS.

DEPUIS QUELQUES MOIS, NOUS ESSAYONS DE CRÉER UN PASSAGE VERS UNE AUTRE DIMENSION.

EN UTILISANT DES ACCÉLÉRATEURS DE PHOTONS QUE NOUS AVONS INVENTÉS...

NOUS AVONS RÉUSSI.

MALHEUREUSEMENT, LA BRÈCHE QUE NOUS AVONS OUVERTE ÉTAIT HAUTEMENT INSTABLE.

UNE CRÉATURE QUE NOUS AVONS NOMMÉ « L'ENTITÉ » A ÉTÉ ASPIRÉE ET PROJETÉE DANS NOTRE MONDE. ELLE A ATTERI AU LABO.

VISIBLEMENT HOSTILE, CE... MONSTRE A TOUT DÉTRUIT ET S'EST ÉCHAPPÉ DANS UN RAYON DE LUMIÈRE, EMPORTANT AVEC LUI...

MA FILLE.

QUI SE TROUVAIT TOUT PRÈS DES LIEUX...

OH! PAS COOL.

SELON LES DONNÉES DE NOS SCIENTIFIQUES, QUI ONT SUIVI LA TRACE D'ÉNERGIE LAISSÉE PAR LA CRÉATURE, ELLE S'EST TÉLÉPORTÉE QUELQUE PART SUR TERRE...

IL Y A

200 000 ANS

UNE CRÉATURE CAPABLE DE VOYAGE TEMPOREL? INTÉRESSANT. ET... QU'EST-CE QUE VOUS ATTENDEZ DE NOUS?

EH BIEN, JE SAIS QUE VOUS DÉVELOPPEZ, VOUS AUSSI, DES TECHNOLOGIES SECRÈTES, ET QUE VOUS ÊTES PEUT-ÊTRE MÊME PLUS AVANCÉS QUE NOUS. ALORS, MA QUESTION EST... POUVEZ-VOUS NOUS AIDER À REMONTER LE TEMPS?

C'EST POSSIBLE. MAIS, POURQUOI FERIONS-NOUS ÇA POUR VOUS?

43

EUH... JE... VOUS NE VOUDRIEZ PAS AIDER UN PAUVRE PÈRE EN PLEURS?!

JE VOUS L'AI DIT, NOUS NE NOUS MÊLONS PAS DE LA VIE DES AUTRES SAUF SI L'AVENIR DU MONDE EST MENACÉ.

MADAME, LA LIGNE TEMPORELLE POURRAIT ÊTRE PROFONDÉMENT AFFECTÉE PAR ÇA, NON?

IL A RAISON. CERTAINS DE MES SCIENTIFIQUES ONT AVANCÉ LA THÉORIE QUE SEULE LA PRÉSENCE DE CETTE CRÉATURE DANS NOTRE RÉALITÉ ENTRAÎNERAIT DES PERTURBATIONS IMPORTANTES DANS NOTRE STRUCTURE TEMPORELLE.

JE NE VOIS AUCUN INDICE DE ÇA POUR LE MOMENT.

MAIS REGARDEZ, IL A UN BRAS DANS LE FRONT!!

IL A TOUJOURS EU CE BRAS.

C'EST VRAI.

ET REGARDEZ DEHORS!

C'ÉTAIT COMME ÇA CE MATIN, IL ME SEMBLE.

MAIS NON, VOYONS!! NOTRE RÉALITÉ EST EN TRAIN DE CHANGER!

ÉCOUTEZ, J'AI UN MARCHÉ POUR VOUS.

NOUS VOUS AIDONS, MAIS EN ÉCHANGE... C'EST NOUS QUI GARDONS CETTE ENTITÉ.

EUH... BEN, EUH...

C'EST MA SEULE OFFRE.

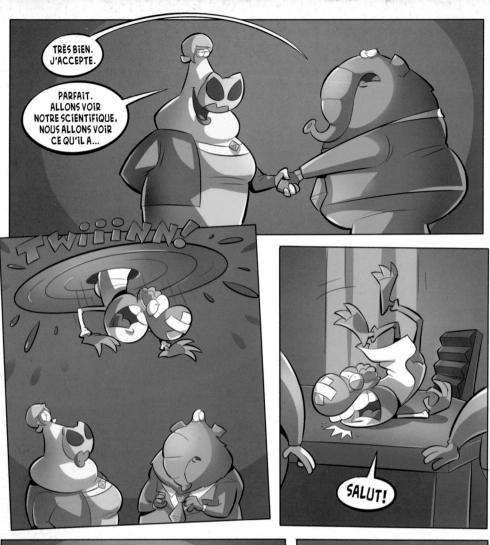

TU NOUS AS ENVOYÉS EN PRISON, MES AMIS ET MOI!

HOU! MOI AUSSI JE VEUX EMBARQUER!

VOUS AVEZ TRAHI L'ARMÉE DU PREMIER CONTINENT!

YOUPI!

ÇA SUFFIT!

HU! HU! ENCORE!

ALORS, C'EST ICI QUE VOUS VOUS CACHIEZ TOUT CE TEMPS, PARMI CES ANARCHISTES! VOUS SAVEZ, MADAME, QUE CET HOMME A TRAHI SA PATRIE, S'EST ÉVADÉ DE PRISON ET EST RECHERCHÉ DEPUIS PLUS DE TRENTE ANS?!?

MMMM, COMME UN PEU TOUT LE MONDE ICI, OUI!

GRRR...

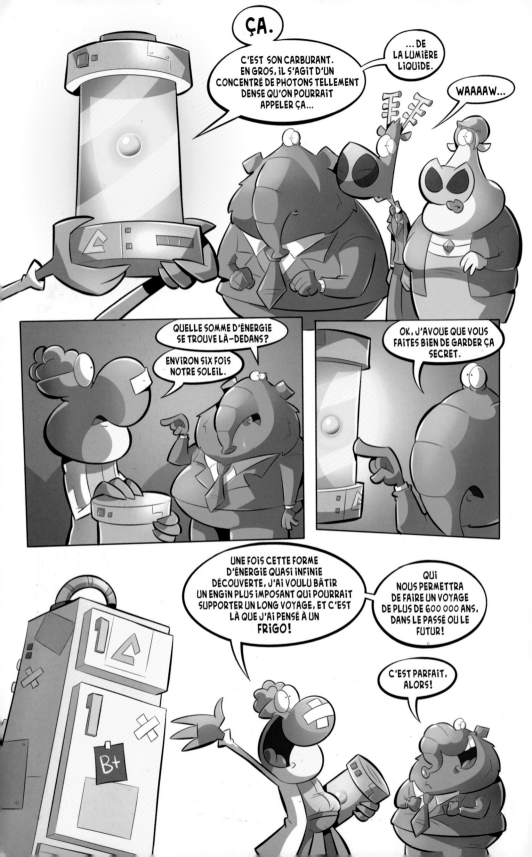

POURQUOI UN FRIGO?

OH, J'AI VU DANS UN FILM QUE ÇA POUVAIT RÉSISTER À UNE EXPLOSION ATOMIQUE, ALORS...

ET CET ENGIN EST FONCTIONNEL?

EN THÉORIE, OUI. MAIS JE N'AI JAMAIS FAIT DE TEST AVEC DES ÊTRES VIVANTS...

QUI VEUT ESSAYER?

ÉCARTEZ-VOUS. POUR UN VOYAGE DANS LE PASSÉ OU LE FUTUR, DANS L'ESPACE OU LE FOND DES MERS, OU MÊME JUSQU'AUX LIMITES DE L'UNIVERS, WXT EST LÀ. ET JE RESTERAI BIEN COIFFÉ.

OUH! OUH!

TRÈS BIEN. PROCÉDONS!

QUINZE MINUTES PLUS TARD...

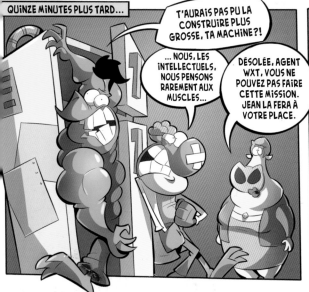

T'AURAIS PAS PU LA CONSTRUIRE PLUS GROSSE, TA MACHINE?!

... NOUS, LES INTELLECTUELS, NOUS PENSONS RAREMENT AUX MUSCLES...

DÉSOLÉE, AGENT WXT, VOUS NE POUVEZ PAS FAIRE CETTE MISSION. JEAN LA FERA À VOTRE PLACE.

HA! HA! T'ES GROS!

MMRRR...

PAS VRAI, T'ES SUPER BEAU.

ET, MOI, JE VOUS DONNE CECI. C'EST AVEC CE GADGET QUE VOUS POURREZ EMPRISONNER L'ENTITÉ ET NOUS LA RAMENER.

COOL! C'EST COMME UNE...

UNE «POKÉBALL», JE SAIS... ON ME LA FAIT TOUT LE TEMPS.

MON FILS, S'IL Y A UN CONSEIL QUE JE PEUX TE DONNER... EN SORTANT DE LA MACHINE, FAIS ATTENTION AUX DINOSAURES.

AUX DINOSAURES?

OUI. CHAQUE FOIS QUE QUELQU'UN VOYAGE TRÈS LOIN DANS LE PASSÉ, IL SE FAIT SYSTÉMATIQUEMENT ATTAQUER PAR UN DINOSAURE, AUSSITÔT QU'IL SORT DE LA MACHINE. C'EST UNE LOI DE LA PHYSIQUE. ALORS, ATTENTION!

MERCI, PAPA!

VOUS ÊTES PRÊT, JEAN?

OUI, MADAME!

ALORS, ALLONS-Y.

INSTALLEZ LA LUMIÈRE LIQUIDE.

PSSSHHHHH....

HU! HU! LA MACHINE À FUMÉE C'EST MON IDÉE. ÇA FAIT PLUS... DRAMATIQUE!

AGENT JEAN... S'IL VOUS PLAÎT, RAMENEZ-MOI MA FILLE VIVANTE...

COMPTEZ SUR MOI! ...

...C'EST QUOI SON NOM, DÉJÀ?

54

... BON.

POURQUOI IL EST EN CALEÇON ?!

SI TOUT ÇA SE DÉROULAIT DANS UN LIVRE, J'ESPÈRE QUE L'AUTEUR SERAIT ASSEZ BRILLANT POUR MONTRER CE QUI EST ARRIVÉ À JEAN DURANT SON VOYAGE.

OUAIS, SINON LE LECTEUR EN PERDRAIT UN GRAND BOUT.

PENDANT CE TEMPS, DANS LE PASSÉ! BEN, PAS VRAIMENT « PENDANT CE TEMPS »,
COMME C'EST UN AUTRE TEMPS... ÇA SE PASSE MÊME AVANT QUE
LE LIVRE COMMENCE DONC... DISONS AU MÊME MOMENT!
EUH NON, ÇA NE FONCTIONNE PAS NON PLUS... HA VOUS COMPRENEZ!

JE ME DEMANDE S'IL Y A PLEIN D'HORLOGES QUI FLOTTENT PENDANT QUE JE RECULE DANS LE TEMPS ...

...COOL!

57

WOH!!!

SALUT, TOI! TU SORS D'OÙ?

EUH... DU FUTUR...

OUH! ÇA, C'EST EXCITANT! LES GARS, ON A UN VOYAGEUR DU FUTUR!

SPLENDIDE!

VOUS...., VOUS ÊTES DES DINOSAURES? VOUS NE RESSEMBLEZ PAS AUX EFFRAYANTS REPTILES SANGUINAIRES QU'ON VOIT DANS LES FILMS!

SANGUINAIRES, NOUS? HA! HA! EH BIEN, NON, ON A DES PLUMES, ON EST MULTICOLORES, ET ON ADORE FAIRE LA FÊTE!

HA BEN, C'EST COOL! VOUS POURRIEZ M'AIDER À RETROUVER CETTE PERSONNE ALORS?

HUM, OUI! JE CROIS QUE JE L'AI VUE AU VILLAGE DES AZULS. NOTRE PARADE S'EN VA JUSTEMENT LÀ. SUIS-NOUS!

61

... MERCI... MAIS, JE...
OH.

ÇA VA?

VOUS...
VOUS VOULIEZ
ME PARLER?

OH! OUI!
EUH...

EST-CE QUE
T'AURAIS VU
CETTE FILLE?

DÉSOLÉE DE M'ÊTRE SAUVÉE COMME ÇA. J'AI VU QUE TU VENAIS DU FUTUR, ET J'AI CRU QUE C'ÉTAIT MON PÈRE QUI T'AVAIS ENVOYÉ.

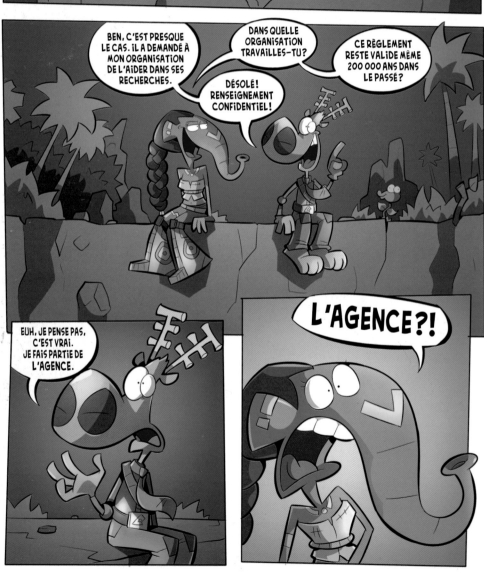

BEN, C'EST PRESQUE LE CAS. IL A DEMANDÉ À MON ORGANISATION DE L'AIDER DANS SES RECHERCHES.

DANS QUELLE ORGANISATION TRAVAILLES-TU?

DÉSOLÉ! RENSEIGNEMENT CONFIDENTIEL!

CE RÈGLEMENT RESTE VALIDE MÊME 200 000 ANS DANS LE PASSÉ?

EUH, JE PENSE PAS, C'EST VRAI. JE FAIS PARTIE DE L'AGENCE.

L'AGENCE?!

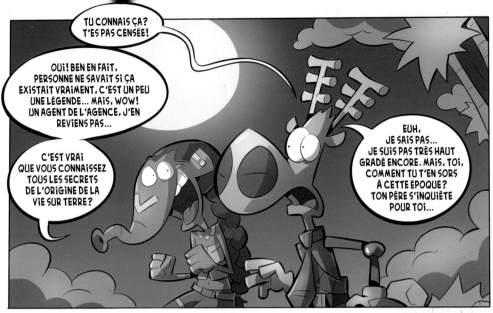

TU CONNAIS ÇA? T'ES PAS CENSÉE!

OUI! BEN EN FAIT, PERSONNE NE SAVAIT SI ÇA EXISTAIT VRAIMENT, C'EST UN PEU UNE LÉGENDE... MAIS, WOW! UN AGENT DE L'AGENCE, J'EN REVIENS PAS...

C'EST VRAI QUE VOUS CONNAISSEZ TOUS LES SECRETS DE L'ORIGINE DE LA VIE SUR TERRE?

EUH, JE SAIS PAS... JE SUIS PAS TRÈS HAUT GRADÉ ENCORE. MAIS, TOI, COMMENT TU T'EN SORS À CETTE ÉPOQUE? TON PÈRE S'INQUIÈTE POUR TOI...

PFF, MON PÈRE N'A QU'UNE ENVIE : M'ENVOYER EN PRISON.

HEIN?!

HUM! JE VOIS QU'IL NE VOUS A PAS TOUT DIT. IL A FAIT SES BEAUX YEUX DE PÈRE INQUIET POUR VOUS CONVAINCRE, JE PARIE?

À PEU PRÈS... ÇA A MARCHÉ POUR MOI! IL EST PAS GENTIL?

C'EST LE PIRE PÈRE QU'ON PEUT AVOIR. LAISSE-MOI TE RACONTER CE QUI S'EST VRAIMENT PASSÉ...

À LA DEMANDE GÉNÉRALE, MON PETIT COUSIN DE CINQ ANS, JÉRÉMIE, VA ILLUSTRER CETTE SCÈNE!

DEPUIS QUE J'ÉTAIS TOUTE PETITE, JE VOULAIS SUIVRE LES TRACES DE MON PÈRE.

C'ÉTAIT MON HÉROS! ET JE LE SUIVAIS PARTOUT. AUTANT DANS L'ARMÉE, DURANT LA GUERRE, QUE DANS SON BUREAU DE MAIRE, OÙ IL DIRIGEAIT NOTRE VILLAGE.

QUAND J'AI EU 18 ANS, IL EST DEVENU PRÉSIDENT DU CONTINENT. JAMAIS JE N'AI ÉTÉ AUSSI FIÈRE, JE ME DISAIS QU'ENFIN NOTRE SYSTÈME ALLAIT ÊTRE DIRIGÉ DE MANIÈRE JUSTE ET ÉQUITABLE...

J'AVAIS TORT.

IL M'A DONNÉ UN TRAVAIL AU SEIN DES SERVICES SECRETS DU GOUVERNEMENT. EN GROS, JE TRIAIS DES DOSSIERS. JE N'AVAIS JAMAIS LE DROIT DE LES REGARDER, BIEN SÛR, MAIS ÉTANT D'UN NATUREL CURIEUSE...

J'AVOUE QUE, PARFOIS, J'AURAIS PRÉFÉRÉ NE PAS LES AVOIR REGARDÉS...

PENDANT LES SEMAINES QUI ONT SUIVI, J'AI CONTINUÉ DE FOUILLER DANS CES DOCUMENTS SECRETS. ÇA NE S'AMÉLIORAIT PAS. TOUS CES MENSONGES, CETTE CORRUPTION, CETTE VIOLENCE...C'ÉTAIT IMPOSSIBLE À ACCEPTER. J'AVAIS DEUX CHOIX, QUITTER CET HORRIBLE ENDROIT, OU ALORS...

J'AI GARDÉ MON TRAVAIL DANS LES BUREAUX DE MON PÈRE, MAIS SECRÈTEMENT J'ALIMENTAIS UN GROUPE DE REBELLES. ENSEMBLE, NOUS TRAVAILLIONS À CONTRECARRER LES PLANS SECRETS DU GOUVERNEMENT.

MALHEUREUSEMENT, JE ME SUIS FAIT PRENDRE.

EN ATTENDANT LA DÉCISION DE MON PÈRE, JE ME SUIS FAIT ENFERMER AU SOUS-SOL, PRÈS DES LABORATOIRES.

71

EFFECTIVEMENT, ON DIRAIT QUE L'ENTITÉ ARRIVERA D'ICI QUATRE JOURS. ON A DÛ ÊTRE SÉPARÉS DE QUELQUES MOIS DANS SON COULOIR TEMPOREL.

ÇA TE DIT DE RESTER AU VILLAGE EN ATTENDANT?

MAIS... JE PEUX PAS! TOUT LE MONDE M'ATTEND À L'AGENCE!

JEAN... ILS NE SONT MÊME PAS ENCORE NÉS.

HA! BIEN TROP VRAI. ALORS JE VAIS RESTER AVEC TOI!

... COOL!

HÉ, MADAME BÉDÉLIA, LES DESSINS DEVIENNENT TRÈS FLOUS PLUS LOIN... VOUS SAVEZ CE QUI VA SE PASSER?

JOUR 3

ET ÉTANT DONNÉ LE TRAVAIL D'ENTRETIEN DE LA CUISINE, NOUS N'AURONS PAS LE CHOIX DE DIMINUER LE NOMBRE DE LAPINS ROSES EN VUE DE L'ÉQUILIBRE BUDGÉTAIRE, ET...

QUOI?! MOINS DE BOUFFE! QU'EST-CE QU'IL DIT?!?

HÉ, LES LUNETTES! MANGE ÇA!

AÏE!

HÉ! ÇA A L'AIR AMUSANT COMME JEU!

ON VA APPELER ÇA.... LANCER DES ROCHES DANS LA FACE DU MONDE!

OUAIS!

WAW! C'EST QUASIMENT COMME À NOTRE ÉPOQUE!

PARLE-NOUS ENCORE DU FUTUR, JEAN!

OUI!!!

OK, EUH... C'EST PAS SEULEMENT LES ÉLÉPHANTS ET LES GIRAFES QUI MARCHENT SUR DEUX PATTES, MAIS TOUS LES ANIMAUX! MÊME LES CERFS, COMME MOI!

QUOI? T'ES UN CERF? MOI, J'AURAIS JURÉ QUE T'ÉTAIS UN RENNE.

MOI, J'AURAIS PLUTÔT DIT UN ORIGNAL.

UN ORIGNAL? T'EN A DÉJÀ VU UN VRAI? C'EST BIEN PLUS IMPOSANT QUE ÇA!

AH! MOI JE PENSAIS QUE C'ÉTAIT UN CHIEN.

MAIS, IL A DES BOIS, STUPIDE!

JE TROUVE PAS QUE ÇA RESSEMBLE À DES BOIS...

DE TOUTE FAÇON, LES CHIENS N'ONT JAMAIS EU DE NARINES COMME ÇA.

LES CERFS NON PLUS, JE TE SIGNALE.

84

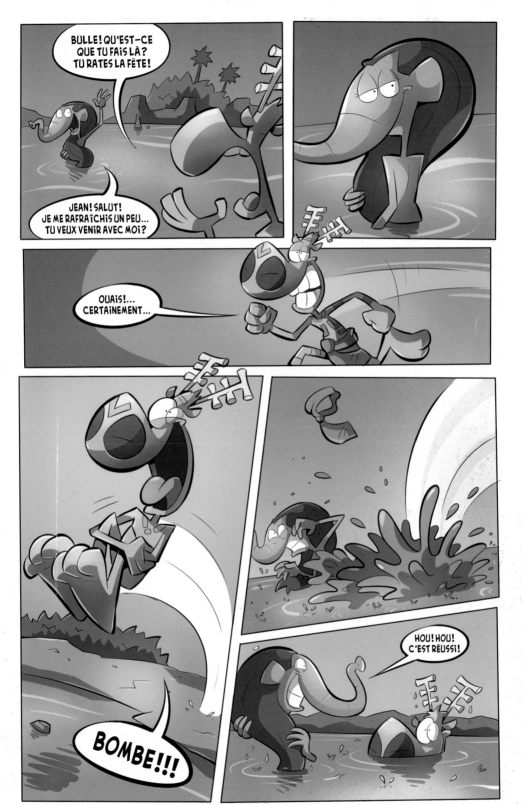

85

ALORS, COMMENT TU AIMES ÇA ICI?

C'EST VRAIMENT BIEN! J'AIME BEAUCOUP TES AMIS. TOI, TU T'AMUSES?

OUI, ASSEZ.

JE PRÉFÈRE PRESQUE CETTE ÉPOQUE À LA NÔTRE. TOUT EST TELLEMENT PLUS SIMPLE.

... T'AS DE JOLIS YEUX SOUS LA LUNE, TU SAIS?

HA OUAIS? AH, MOI, JE LES TROUVE...

BIZARRES!

T'AS REMARQUÉ QUE J'EN AI UN PLUS GROS QUE L'AUTRE? ET REGARDE BIEN ÇA...

SI JE TOURNE LA TÊTE, ÇA CHANGE DE CÔTÉ!

ÇA N'A VRAIMENT AUCUN SENS!

HOU! HOU! TU ES DRÔLE, JEAN. JE T'AIME BIEN.

HA. MOI AUSSI!

TU CROIS QUE J'AURAIS CE QU'IL FAUT POUR ENTRER À L'AGENCE? ÇA A VRAIMENT L'AIR SUPER COMME ORGANISATION.

SÛREMENT! MARTHA, MA PATRONNE, TE RESSEMBLAIT UN PEU QUAND ELLE ÉTAIT JEUNE. JE SUIS SÛR QUE VOUS VOUS ENTENDRIEZ BIEN!

DANS CE CAS, TU ME RAMÈNERAS DANS LE PRÉSENT... ET JE POURRAI RESTER...

...AVEC TOI.

FLOM ÉÉÉ ZOOOOIÏÏÏ

HAAA!!!

PANIQUE!

PANIQUE!

ZZZZZ

HÉ! JE VIENS DE DÉCOUVRIR QUE BRÛLER, ÇA FAIT VRAIMENT MAL!

SUPER! ARRRGHHH!!!

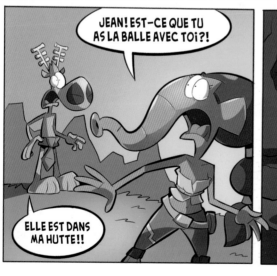

JEAN! EST-CE QUE TU AS LA BALLE AVEC TOI?!

ELLE EST DANS MA HUTTE!!

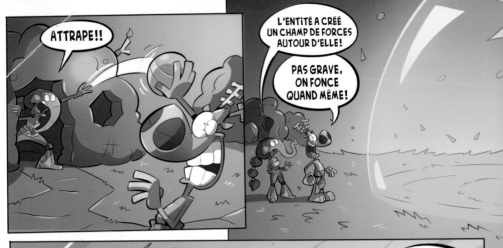

ATTRAPE!!

L'ENTITÉ A CRÉÉ UN CHAMP DE FORCES AUTOUR D'ELLE!

PAS GRAVE, ON FONCE QUAND MÊME!

IGHN

JE ME DEMANDAIS ÇA... D'APRÈS TOI, C'EST LAQUELLE LA VRAIE FORME DE SUPER MARIO?!

QUOI?!

HA! OUI!

OUAIS! EST-CE QU'IL EST PETIT NATURELLEMENT ET IL GROSSIT À CAUSE DES CHAMPIGNONS, OU IL EST NATURELLEMENT GRAND, ET LES CHAMPIGNONS LE REMETTENT À SA TAILLE NORMALE?

JEAN! L'ENTITÉ!!!

ALLÔ! TU VEUX ENTRER LÀ-DEDANS?

BABOM

ON A DORMI UN AN! JE PEUX BIEN ME SENTIR RÉVEILLÉ!

MAIS NON, JEAN! L'ONDE DE CHOC DE L'ENTITÉ A DÛ NOUS FAIRE BONDIR D'UNE ANNÉE DANS LE FUTUR!

...WOOOOOO. C'EST BIZARRE COMME MISSION, JUSQU'À MAINTENANT.

ALLEZ, VIENS, ON VA VOIR CE QUI S'EST PASSÉ.

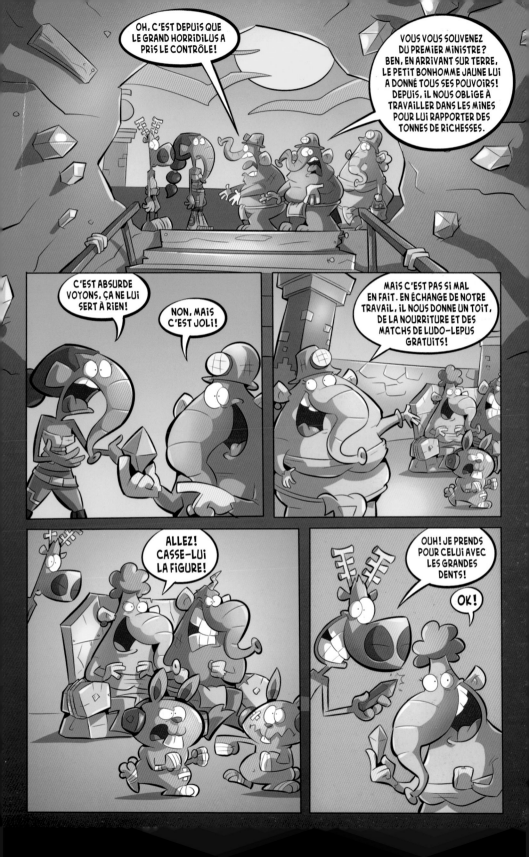

NON! NON! NON! C'EST LA PIRE SOCIÉTÉ QUE JE CONNAISSE! IL EST OÙ VOTRE NOUVEAU « ROI » QUE JE LUI PARLE?! JE NE LE LAISSERAI PAS AGIR EN DICTATEUR. ÇA, C'EST PAS VRAI!!!

IL EST DANS SON PALAIS, JUSTE EN HAUT DES ESCALIERS.

MAIS NE MONTE PAS! LE GRAND MAGNALUX VA TE DÉVORER!

JE VAIS PRENDRE LE RISQUE.

VOUS N'ÊTES PAS AUTORISÉS À ENTRER, MISÉRABLES VERMINES.

SALUT, MAGNALUX! MOI, C'EST JEAN!

SALUT.

EH BIEN, ON VA ENTRER QUAND MÊME, ESPÈCE DE... DE GROSSE STATUE PAS BELLE!!

C'ÉTAIT PAS SUPER COMME INSULTE...

JE SAIS, J'AI PAS TROP TROP LE SENS DE LA RÉPARTIE QUAND JE SUIS FÂCHÉE...

POUR ENTRER VOIR L'EMPEREUR, VOUS DEVREZ RÉPONDRE... À L'ÉNIGME SANS RÉPONSE.

BEN LÀ... C'EST UN ROI OU UN EMPEREUR?

ALLEZ-Y.

VOICI : QU'EST-CE QUI A QUATRE PATTES LE MATIN, QUATRE PATTES LE MIDI ET QUATRE PATTES LE SOIR?

... UNE CHAISE?

EUH... BEN EUH... C'EST ÇA. ON FAIT UN DEUX DE TROIS?

... SI VOUS VOULEZ...

PARFAIT. QU'ARRIVE-T-IL LORSQU'UNE FORCE INARRÊTABLE RENCONTRE UN OBJET IMMUABLE?

... BEN, RIEN.

... OUI, RÉPONSE CORRECTE...

JE PEUX EN FAIRE UNE AUTRE?

...

IL N'A JAMAIS EU DE POUVOIRS!

CE N'ÉTAIT QU'UN JEU D'OMBRAGE ET DE PERSPECTIVE! HAAAA!!!

ON LUI CASSE LA FACE!!!

ARRÊTEZ ÇA!!! VOUS NE COMPRENEZ PAS CE QUI SE PASSE, ICI?

ON COMPREND PAS GRAND-CHOSE, ON EST À L'ÂGE DE PIERRE.

À FORCE DE SE FAIRE TABASSER, IL EN EST VENU À DÉTESTER TOUT LE MONDE! C'EST DE VOTRE FAUTE S'IL EN EST ARRIVÉ LÀ!

OUI, C'EST VRAI QU'IL N'EST PAS TRÈS JOLI, QU'IL EST PETIT COMME UNE GRENOUILLE, QU'IL PUE COMME UN OPOSSUM, QUE SON NOM VEUT DIRE « MINABLE » EN LATIN ...

OUAIS T'AS VRAIMENT RIEN POUR TOI, DIS DONC.

SÉRIEUX? MON NOM VEUT DIRE ÇA?

MAIS EN LUI, COMME EN CHACUN DE NOUS, SE CACHE UN PETIT CANICHE ROSE...

...QUI NE DEMANDE QU'À ÊTRE AIMÉ.

C'EST VRAI, L'INTIMIDATION, IL FAUT QUE ÇA CESSE.

ET CE, MAINTENANT!

HOURRA!!

HORRIDILUS! HORRIDILUS!

ON T'AIME!

VIVE LES CANICHES

C'ÉTAIT TRÈS TOUCHANT, ÇA, JEAN.

QU'EST-CE QUE J'AI DIT?

HÉ, LES GARS, QU'EST-CE QUE VOUS DIRIEZ SI ON RETOURNAIT VIVRE TOUT NUS DANS LA BOUE?!

OUAIS!!! VIVE LA NUDITÉ!

BON. J'IMAGINE QUE LA SOCIÉTÉ DOIT AVANCER À SON RYTHME.

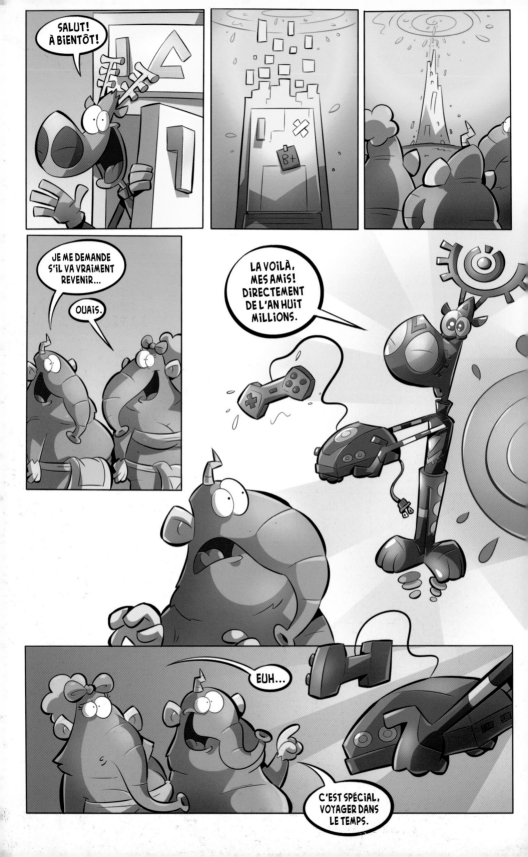

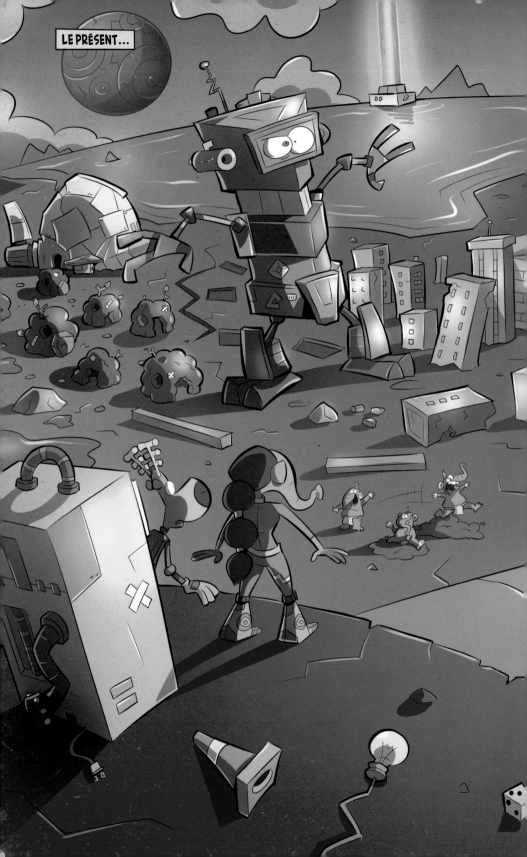

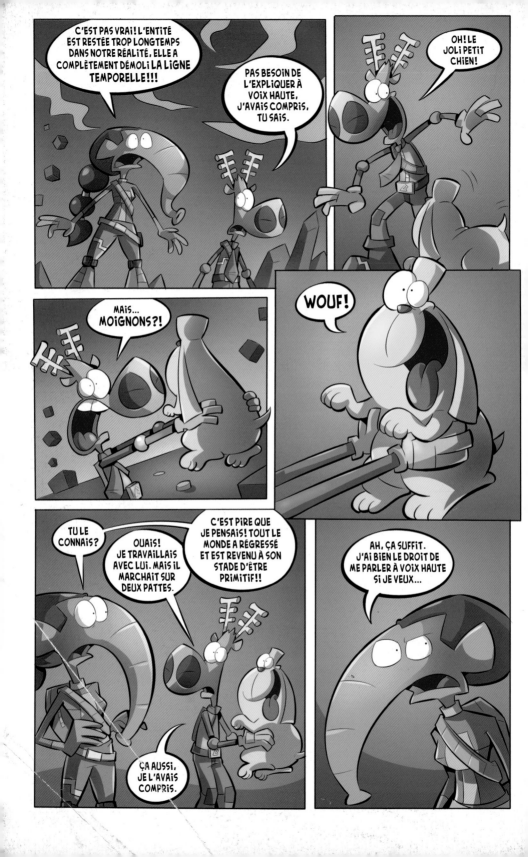

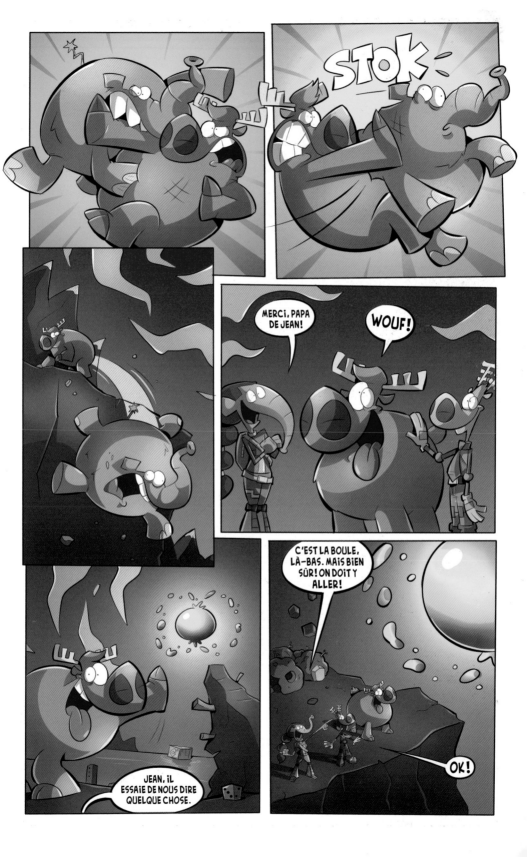

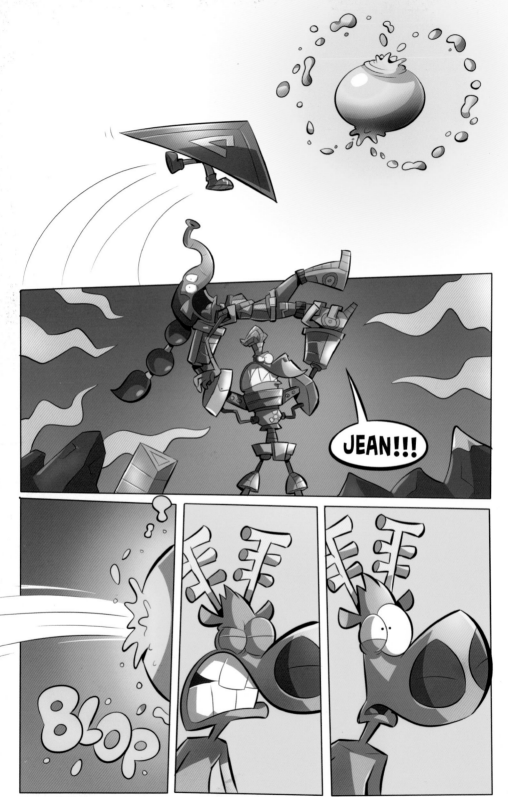

HA! COMMENT VOUS ÊTES ENTRÉ ICI?

EUH, BEN... AVEC UN DELTAPLANE. C'ÉTAIT PAS TRÈS DUR.

FAITES-MOI PAS MAL, S'IL VOUS PLAÎT...

HEIN? JE SUIS PAS LÀ POUR ÇA, VOYONS! JE VEUX JUSTE TE PARLER UN PEU.

OH, OK. TU PEUX VENIR T'ASSEOIR.

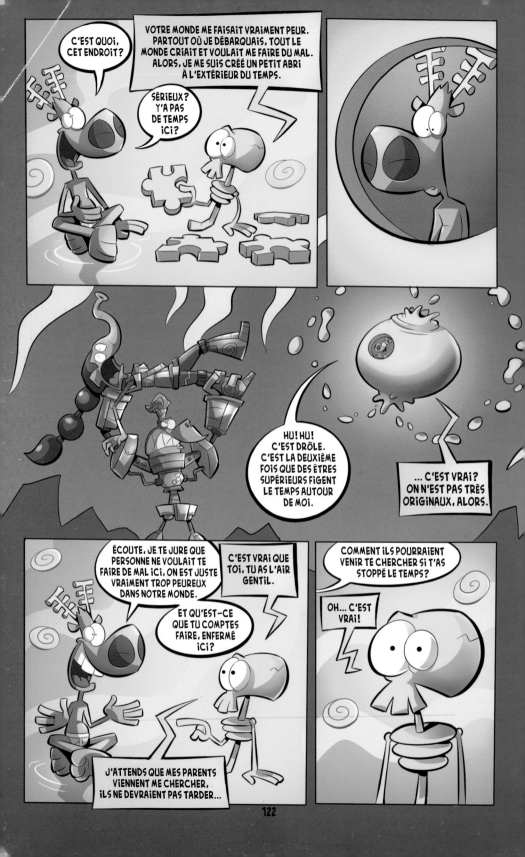

ÉCOUTE, JE CONNAIS UN BIEN MEILLEUR MOYEN DE T'AIDER.

JE CONNAIS QUELQU'UN, UN SCIENTIFIQUE, QUI POURRAIT T'AIDER À RETOURNER DANS TON MONDE!

C'EST VRAI?

C'EST VRAI! IL S'APPELLE HENRY, IL EST VRAIMENT COOL. T'AURAIS DÛ VOIR SON COSTUME D'HALLOWEEN CETTE ANNÉE...

IL AURAIT DÛ GAGNER.

AH OK! UN VER DE TERRE ZOMBIE! C'EST IRONIQUE PARCE QUE LES VERS DE TERRE MANGENT LES ZOMBIES! J'AVAIS TELLEMENT PAS COMPRIS! JE COMPRENDS POURQUOI IL A GAGNÉ, FINALEMENT!

HEIN?

DONC, OUI! TOUT CE QUE T'AS À FAIRE, C'EST REMETTRE LA LIGNE TEMPORELLE EN ORDRE ET ENTRER DANS CETTE BALLE. JE TE JURE QUE TU RETOURNERAS CHEZ TOI RAPIDEMENT!

... D'ACCORD! JE TE FAIS CONFIANCE. IL Y A BEAUCOUP DE LUMIÈRE À L'INTÉRIEUR DE TOI. JE PEUX LA VOIR.

EUH, JE VAIS LE PRENDRE COMME UN COMPLIMENT!

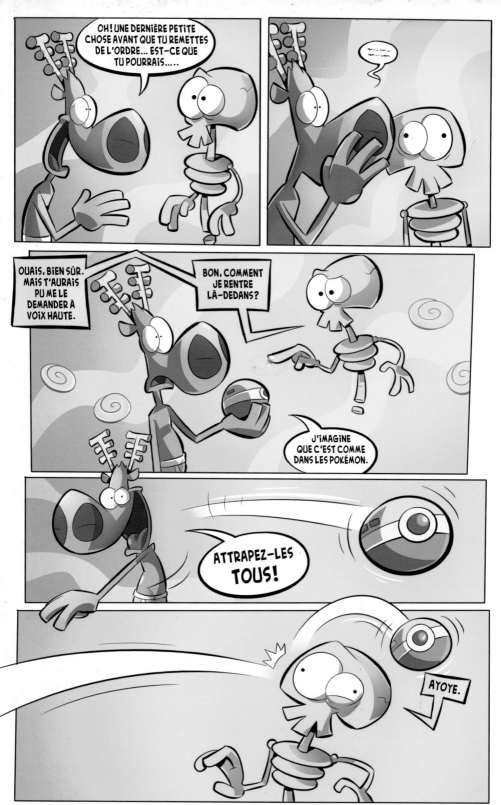

... BON... ON PEUT CONTINUER?

JE CROIS BIEN.

JEAN! ALORS, CE VOYAGE? TOUT S'EST BIEN DÉROULÉ?

OUAIP! TENEZ, L'ENTITÉ EST ICI

HÉ! NE TOUCHE PAS! C'EST À NOUS, ÇA!

GRRR, OUI OUI... MAIS HÉ! OÙ EST MA FILLE! J'AVAIS ORDONNÉ DE LA RAMENER!!!

J'AI DONC PU DISCUTER LONGUEMENT AVEC VOTRE FILLE ET ELLE A LE PROFIL PARFAIT POUR INTÉGRER NOTRE ORGANISATION.

ELLE SERA DONC STAGIAIRE DANS UN DE NOS ÉDIFICES ET POURRA SE QUALIFIER POUR DEVENIR AGENTE D'ICI SIX MOIS.

VOUS NE POUVEZ PAS...

DÉSOLÉE, P'PA. JE SUIS COMPLÈTEMENT SORTIE DE TA SOCIÉTÉ MAINTENANT. TU NE PEUX PLUS M'ENFERMER.

NON...

NOON!!! ARG!!

HÉ! MON CENTRE DE TABLE!

VOUS SAVEZ À QUI VOUS VOUS ATTAQUEZ?! JE SUIS L'ÊTRE LE PLUS PUISSANT DE CETTE TERRE! JE VAIS METTRE CET ÉDIFICE EN PIÈCES!

ET AVEC QUELLE ARMÉE?

CELLE-LÀ...

OH.

JE VOUS DEMANDERAIS DE SORTIR, S'IL VOUS PLAÎT. VOUS N'ÊTES PLUS LE BIENVENU ICI.

... SACHEZ QUE VOTRE SOI-DISANT « PUISSANCE » FINIRA PAR VOUS RETOMBER DESSUS UN JOUR OU L'AUTRE. ET SI LE MONDE COURAIT À SA PERTE...

... JE PEUX PARIER QUE CE SERAIT DE VOTRE FAUTE.

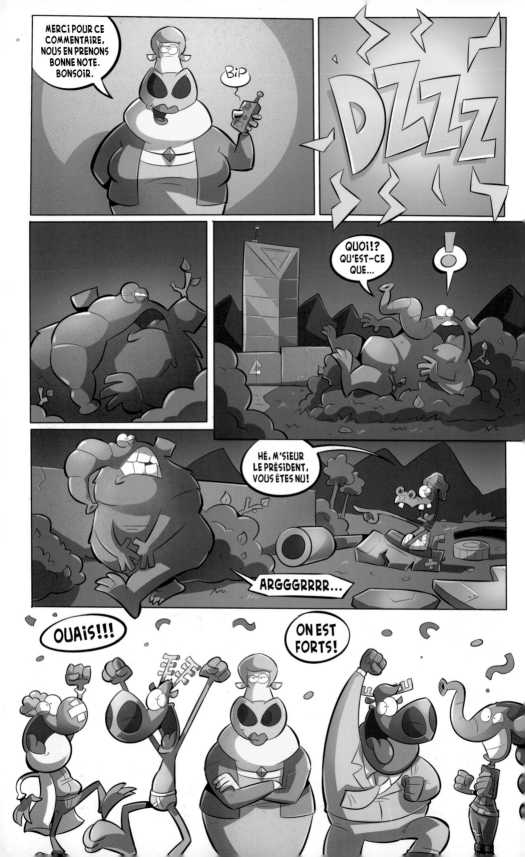

JE SUIS FIER DE TOI, MON FILS! T'AS QUAND MÊME RÉPARÉ LA LIGNE TEMPORELLE À TOI TOUT SEUL! MÊME BATMAN N'AVAIT PAS FAIT ÇA.

OH, EUH... NON, C'EST VRAI, IL L'A FAIT. MAIS T'ES COOL QUAND MÊME!

JE SUIS VRAIMENT HONORÉE DE FAIRE PARTIE DE VOTRE ORGANISATION, MADAME.

CE N'EST PAS LA MIENNE. MAINTENANT, C'EST AUSSI LA VÔTRE.

HI! HI!

JEAN! TU TE RENDS COMPTE? ON VA SE VOIR PRESQUE TOUS LES JOURS!

C'EST SUPER!

CE SERA PEUT-ÊTRE L'OCCASION DE... POUSSER NOTRE RELATION... UN PEU PLUS LOIN...

HUM?

PLUS D'INFO
SUR ALEX A. ET
SES SÉRIES BD AU
ALEXBD.COM

TOME 1 SAISON 1
LE CERVEAU DE L'APOCALYPSE

TOME 2 SAISON 1
LA FORMULE V

TOME 3 SAISON 1
OPÉRATION MOIGNONS

TOME 4 SAISON 1
LA PROPHÉTIE DES QUATRE

TOME 5 SAISON 1
LE FRIGO TEMPOREL

TOME 6 SAISON 1
UN MOUTON DANS LA TÊTE

TOME 7 SAISON 1
L'ULTIME SYMBOLE ABSOLU

TOME 8 SAISON 1
LE CASTOR À JAMAIS

L'AGENT JEAN HORS-SÉRIE
LES DOSSIERS SECRETS DE MOIGNONS

TOME 1 SAISON 2
ÉPOPÉE VIRTUELLE

TOME 2 SAISON 2
LA MANODIMENSION

TOME 3 SAISON 2
L'ADN DE L'IMPOSSIBLE

RETROUVEZ
L'AGENT
JEAN
DANS LES
SAISONS
1 ET 2!